LA
FRANCE
EN DÉTOURS

Paysages,
villages, habitat

Avec la collaboration
de
Nathalie Cousin

LA
FRANCE
EN DÉTOURS

Paysages, villages, habitat

Éditions RUSTICA
Collection Détours en France

© 1995, Éditions Rustica, Paris
Dépôt légal : juin 1995
N° d'éditeur : 48067
ISBN : 2-84038-089-7

Sommaire

Avant-propos

Le nom des régions, celui des villes ou des îles déclenchent déjà l'imagination. *Normandie*, les bocages échevelés, la mer argent qui rêve elle aussi d'atteindre les planches foulées par les nostalgiques de la Belle Époque... *Charentes*, à l'intérieur des terres, sous la voûte des porches romans, l'ombre joue avec un soleil complice ; sur la côte, les pêcheurs ont relevé les carrelets, dans les chais, le cognac attend de rejoindre le paradis des anges de la vigne... *Aix-en-Provence*, la cité bavarde au pied de la montagne Sainte-Victoire, l'agitation de cette universitaire rebondit sur les façades cossues de tranquilles hôtels particuliers. *Corse*, la montagne naît de la mer. La flore du Midi méditerranéen soupçonne-t-elle la présence, à quelques kilomètres seulement, plus haut, mais très haut parfois, de sa cousine, la flore alpine...

D'autres paysages s'affichent dans ce livre, d'autres villages se dévoilent avec pudeur, d'autres visages reflètent culture et labeur. Partez avec nous sur ces chemins en détours, la France vous surprendra toujours.

À Honfleur commence la
bien nommée Côte de Grâce,
dans un caractéristique
décor champêtre de
pommiers à cidre et
de maisons normandes.
Depuis le plateau se
succèdent des panoramas
exceptionnels sur le petit
port de Honfleur,
sur l'estuaire de la Seine,
sur la rade du Havre et sur
le pont de Tancarville.

La Normandie

AUTOUR DE VIRE, ÉRIGÉ EN
AMPHITHÉÂTRE SUR UNE
COLLINE BORDÉE PAR LA
RIVIÈRE QUI DONNA SON NOM
À LA CITÉ, S'ÉTENDENT
LES PAYSAGES DU BOCAGE
NORMAND, PETITES PARCELLES
HERBAGÉES DÉCOUPÉES PAR
LES HAIES VIVES. CES CLÔTURES
NATURELLES PLANTÉES
DE POMMIERS PROTÈGENT LES
VACHES LAITIÈRES DES EXCÈS
DU VENT ET DE LA PLUIE.

QUELLE VILLE MIEUX QUE
HONFLEUR A SU MARIER LE
CHARME RUSTIQUE D'UN PETIT
PORT DE PÊCHE ET LA GLOIRE
D'UNE MUSE QUI ATTIRA
EUGÈNE BOUDIN, JONGKIND,
MONET, COURBET, SISLEY
OU PISSARRO ?
SI LA PETITE CITÉ A PU
ÉLEVER UN HOMME TEL
QU'ALPHONSE ALLAIS, C'EST
CERTAINEMENT QU'ELLE DOIT
SAVOIR NE PAS SE PRENDRE
TROP AU SÉRIEUX...

HONFLEUR S'EST BÂTI
AUTOUR DE SON PORT, LE VIEUX
BASSIN OÙ CLAPOTENT LES
BATEAUX DE PÊCHE, CERNÉS
PAR LES TERRASSES
ET LES BOUTIQUES DU QUAI
SAINTE-CATHERINE.
DE PETITES RUES PAVÉES
DÉBOUCHENT SUR CE QUAI,
ALIGNANT FIÈREMENT
DE BELLES MAISONS
DU XVIIᵉ SIÈCLE À COLOMBAGE,
AUX FAÇADES ESSENTÉES
D'ARDOISES.

La Normandie n'est pas une entité naturelle, mais une région historique. Géographiquement partagée entre le Massif armoricain et le Bassin parisien, elle juxtapose une multitude de petits pays, aux paysages, aux architectures, aux modes d'exploitation différents. Chacun de ses terroirs a sa capitale, ses spécialités locales et ses mentalités ! Vexin, pays de Caux, pays d'Ouche, pays d'Auge, Bessin... ont en effet tous réussi à se forger un nom et une identité propres. Mais, avant tout, ils sont normands. Leurs racines communes remontent au Moyen Âge, lorsque la région, colonisée dès le Xe siècle par les Scandinaves — qui, semble-t-il, y prirent femme —, se structura en État quasi autonome. Et quand on a pour chef un homme qui s'appelle Guillaume et qui conquiert l'Angleterre, il y a matière à être fier pendant des siècles ! L'histoire mouvementée de la Normandie lui a tour à tour offert et repris un patrimoine très riche, composé d'abbayes puissantes, d'imposants châteaux et de villes fascinantes.

Dans l'intérieur des terres, les champs de pommiers succèdent aux herbages bocagers, aux haras, aux fermes-manoirs et aux grosses exploitations agricoles. Pays vert et frais piqué des solides bâtisses à colombage, leurs bois sombres contrastant avec la blancheur du hourdis passé à la chaux grasse. Du Tréport au Havre s'étirent les hautes falaises du pays de Caux, puis, à partir de Honfleur, ville natale du peintre Eugène Boudin et lieu d'élection des Parisiens en mal d'oxygène et de charme, par Deauville, Cabourg, Port-en-Bessin, Cherbourg... s'égrènent les petits ports de pêche, les stations balnéaires, les corniches champêtres au-dessus des longues plages se dénudant si loin, à marée basse, qu'on ne distingue plus qu'une ligne mousseuse.

La région vient finir au bord du Couesnon, petit cours d'eau longtemps vagabond, qui, « dans sa folie, mit le mont en Normandie ». Car le Mont-Saint-Michel, « merveille de l'Occident », qui draina sur les chemins tant de « michelots » attirés par le récit des miracles réalisés par l'archange, eût pu être breton !

La campagne de Caen déploie de vastes étendues cultivées, ouvertes et semées de bosquets. Dans les alentours de Conteville subsistent les traditionnelles fermes de plaine, imposantes constructions en pierre de Caen refermées sur une cour carrée, regroupant à la fois bâtiments agricoles et habitation.

Selon les régions et la nature du sous-sol,
la maison normande peut être en calcaire, en grès,
en granit ou à pans de bois.

Entre les bois du colombage apparaît parfois
le hourdis en torchis, fait de terre argileuse, de paille
ou de crin mêlés.

DEPUIS PORT-EN-BESSIN, À
L'ACTIF PORT DE PÊCHE QUE
SURPLOMBE LA TOUR VAUBAN,
PARTENT DES SENTIERS DE
RANDONNÉE SUR LES FALAISES
DOMINANT LES GRÈVES
DE PLUS DE SOIXANTE MÈTRES.
DES FALAISES QUI SE DÉLITENT
ET S'EFFONDRENT, COMME AU
CHAOS DE LONGUES-SUR-MER,
OÙ LES ÉBOULEMENTS
ONT RECRÉÉ UN UNIVERS
FANTASMAGORIQUE.

CELA FAIT DEUX SIÈCLES
MAINTENANT QUE LE PAYS
D'AUGE SE CONSACRE
AU CHEVAL. DANS SES HARAS
PRIVÉS, RECONNAISSABLES SUR
LA VERTE CAMPAGNE
BOCAGÈRE À LEUR RÉSEAU
DE BARRIÈRES BLANCHES,
IL ÉLÈVE LES PUR-SANG
JUSQU'À CE QU'ILS ATTEIGNENT
L'ÂGE DE PARTICIPER
À LA VENTE ANNUELLE DES
YEARLINGS, À DEAUVILLE.

L'Île de Sein habille désormais de vives couleurs ses maisons jadis peintes en marron ou en gris, teintes des revêtements protégeant les bateaux de l'humidité.

À l'extrémité du quai des Paimpolais se dresse le feu de Men-Brial, où viennent s'amarrer la navette assurant la liaison avec le continent et le bateau de sauvetage de Sein.

L'Île de Sein

Pas un arbre. Une végétation rase, brimée par le vent salé et la sécheresse. Comme si la terre de Sein était trop petite pour attirer l'eau douce... L'île affleure à peine au-dessus des flots. L'Océan a menacé bien des fois de l'engloutir, telle la légendaire ville d'Ys. Mais, en attendant, l'Océan ronge Sein, lentement. L'île a déjà perdu des parcelles d'elle-même, il en est ainsi du Kilaourou, qui n'est plus accessible qu'à marée basse. Des vestiges de murets en pierre sèche y dessinent des jardins lilliputiens que les femmes cultivaient jadis tant bien que mal. Lorsque grossit le vent, pendant les grandes marées, alors, sûrement, les Sénans ont peur. Mais leur vie reste attachée à cet envoûtant bout de granit, à ses maisons solides frileusement serrées autour de ruelles conçues pour y rouler un tonneau. Le bourg tourne le dos au grand large. Depuis le bastingage de granit, dont la ligne suit celle des deux quais de Sein où dansent les bateaux de pêche colorés, les Sénans scrutent inlassablement le bout de nez du continent, la pointe du Raz.

LES SÉNANS PROFITENT
DE LA MARÉE BASSE
POUR REFAIRE
UNE COULEUR ET
UNE SANTÉ À LEUR
EMBARCATION ÉCHOUÉE,
BIEN À L'ABRI DU QUAI
DES FRANÇAIS-LIBRES.
LES PLUS JEUNES
PRATIQUENT LA PÊCHE
À PIED OU RAMASSENT
LE LICHEN,
QU'ILS FERONT SÉCHER
LONGUEMENT AU
SOLEIL, AVANT DE LE
VENDRE À L'INDUSTRIE
COSMÉTOLOGIQUE.

C'est une terre
où l'on parle breton,
où quelques femmes
en noir portent
encore la *jibilinen*
aux ailes relevées,
devenue coiffe de
l'île depuis la grande
épidémie de choléra
au siècle dernier.
Mais ces derniers
bastions de
la tradition, ces
bretonnes âgées et
un peu farouches,
ne se laissent
pas apercevoir
facilement...

Amas chaotiques
de rocs en équilibre,
rochers déchiquetés
et troués contre
lesquels l'Océan
vient claquer, granit
sculpté par l'érosion
en d'étranges formes,
tel le rocher que
les Sénans nomment
avec humour le
sphinx... Le littoral
de Sein offre toute
la matière à qui
veut fantasmer
sur les créations
de la nature.

JADIS, DEPUIS
SES TOURELLES
EN ENCORBELLEMENT,
BROUAGE SURVEILLAIT
L'OCÉAN. MAIS CE PORT
MILITAIRE FORTIFIÉ
PAR RICHELIEU,
REFUGE IMPRENABLE
ET CONFORTABLE
QUE S'ÉTAIT OFFERT
LE CARDINAL, NOMMÉ
GOURVERNEUR DE LA
PLACE, NE DOMINE PLUS
DÉSORMAIS QU'UN PLAT
PAYSAGE DE MARAIS,
À DES KILOMÈTRES DE
L'ATLANTIQUE.

Les Charentes

LES CHARENTES SE
PARENT DÈS LES
PREMIÈRES CHALEURS
ANNONCIATRICES DE
L'ÉTÉ DE GRANDS
CHAMPS DE TOURNESOLS,
ENFOUISSANT LES TOITS
DES HAMEAUX DISCRETS,
TEL SAINT-GENIS-
DE-SAINTONGE, PRÈS DE
JONZAC. SEULS LES
CLOCHERS DES ÉGLISES
ROMANES, QUI FONT
LA RÉPUTATION
DU PAYS, ÉMERGENT DE
CET OCÉAN DE JAUNE.

Venu du Limousin, le fleuve Charente négocie un profond virage au nord d'Angoulême, puis il arrose Cognac avant de rallier la Charente-Maritime. Il doit être pressé de rejoindre l'Océan car son tracé se fait plus direct, par Saintes, aux impressionnantes arènes romaines, et par Rochefort, l'arsenal militaire conçu par Colbert au XVIIᵉ siècle.

Baignées par le fleuve vert ourlé de champs de céréales ou de tournesols, les deux Charentes ont gardé une authentique empreinte rurale et partagent un goût prononcé pour les églises romanes... comme pour les produits de la vigne. La Charente se délecte du fameux cognac ; la Charente-Maritime s'adonne avec autant de délice au pineau, dont la légende dit qu'il est né d'une erreur, celle d'un viticulteur qui aurait versé du jus de raisin dans un fût contenant déjà de l'eau-de-vie de Cognac. À toute chose, malheur est bon !

Le littoral a son propre caractère. De La Rochelle à l'embouchure de la Seudre et au grand bassin ostréicole de Marennes-Oléron, les petits bourgs s'animent du passage des ostréiculteurs tirant les barges chargées de sacs emplis d'huîtres. Cabanes de pêcheurs colorées, maisons charentaises toutes blanches aux gais volets bleus ou verts, bâtisses en petites pierres brutes lovées à l'ombre des pins côtoient sans jalousie apparente les villas balnéaires cossues. Les plages de sable longues ou intimes, les chemins bordés de hautes roses trémières partagent la vedette avec les magnifiques forts qui hérissent les îles et le littoral, vaisseaux puissants qui racontent toute l'évolution de l'artillerie et l'histoire d'une région centrée sur Brouage, Rochefort puis La Rochelle. Au-delà de la Seudre commence la Côte sauvage. Par des trouées rectilignes tracées dans la dense forêt de pins, des chemins rejoignent d'immenses plages caressées par de gros rouleaux bleus. Interdite à la baignade, la côte rappelle chaque année qu'elle porte parfaitement son qualificatif de sauvage. Après le phare de la Coubre, la pinède s'éclaircit, puis, à la hauteur de Royan, les eaux salées s'enfoncent dans l'estuaire de la Gironde.

Oléron, la plus vaste des
îles après la Corse, offre
un littoral très varié.
Au-delà des plates grèves
vouées aux parcs à huîtres
et des marais salants
s'élèvent les dunes de
la forêt des Saumonards.
La plage est juste dans l'axe
du si célèbre fort Boyard,
qui fut obsolète avant
même d'entrer en service...

Les marais de Broue ont
gagné sur l'Océan le golfe
de Saintonge, étouffé par
la vase au fil des siècles.
L'ancienne côte du golfe et
les îles d'antan, fossilisées,
se lisent encore dans
le paysage. Près de la tour
écorchée, qui seule subsiste
de l'ancien port de Broue,
affleurent même des
vaisseaux pris dans la terre.

La ville de Château-
d'Oléron partage
son nom avec la
citadelle érigée par
d'Argencourt, sur
l'ordre de Richelieu,
à l'emplacement
du vieux château
féodal des ducs
d'Aquitaine. Au pied
de l'imposante place
forte s'animent le
port de pêche et les
cabanes colorées des
ostréiculteurs, qui
s'alignent au long
des chenaux.

L'ESTUAIRE DE LA
GIRONDE, AUX ALLURES
DE MISSISSIPPI, A VU
PASSER BIEN DES
BATEAUX AU FIL DE SES
BERGES UN PEU
SAUVAGES, QU'ANIME
LA SILHOUETTE
EFFLANQUÉE ET PARFOIS
BANCALE DES CABANES
DE PÊCHEURS.
À HEURES RÉGULIÈRES
SE PROFILENT CES
DRÔLES DE BATEAUX-
LIBELLULES, CHARGÉS
DE LAMPROIES,
D'ANGUILLES, D'ALOSES
OU DE CREVETTES.

La Gironde

UNE SILHOUETTE FINE
ET RACÉE QUI A BIEN FAILLI
DISPARAÎTRE À TOUT JAMAIS
DU BASSIN D'ARCACHON...
LES PINASSES, EMBARCATIONS
TRADITIONNELLES À FOND
PLAT, NAVIGUENT ENCORE SOUS
LE PAVILLON DE QUELQUES
PÊCHEURS, OSTRÉICULTEURS ET
« PINASSAYRES » AMATEURS,
BRAVANT L'ÉPREUVE
DU VIREMENT DE BORD !

DEPUIS LA POINTE DE GRAVE,
QUI CÉLÈBRE, FACE À ROYAN,
L'UNION DES EAUX
ATLANTIQUES ET DES EAUX
DE LA GIRONDE, S'ÉTIRE LA
CÔTE D'ARGENT. LE LITTORAL
RESSEMBLE À UNE SEULE
LONGUE PLAGE. MAIS, POUR
GOÛTER LES PLAISIRS DE
L'OCÉAN ET DU FARNIENTE AU
SOLEIL, IL FAUT TRAVERSER
D'ABORD LES DUNES DE SABLE...

L es plus grands vins du monde naissent là, entre eaux douces et eaux salées, collines de sable blond et chaudes forêts. C'est un pays où chantent des noms prestigieux aux fins palais, Fronsac, Pomerol, Saint-Émilion... Mais c'est aussi le berceau de Montaigne, de Mauriac (qui passait ses vacances à Saint-Symphorien, où il situe l'action de *Thérèse Desqueyroux*), comme du baron de La Brède, penseur éclairé plus connu sous le nom de Montesquieu, qui possédait là un magnifique château.

L'estuaire de la Gironde, aux larges hanches ondulant au rythme des marées, vient se couler jusqu'au nord de Bordeaux, capitale de l'Aquitaine depuis Vespasien. À l'époque romaine, Bordeaux produisait déjà du vin. Mais lorsque Aliénor d'Aquitaine s'unit à Henri II Plantagenêt, Bordeaux se lance dans une formidable aventure commerciale. La ville offre encore le rond visage de la prospérité, mais celle du XVIIIe siècle, l'époque des grandes familles bordelaises, avec leurs hôtels particuliers du quartier des Chartrons assis sur le vin et le commerce triangulaire.

Hors la sphère urbaine de Bordeaux s'ouvre un pays qui sait se partager entre villages tranquilles, châteaux viticoles dominant fièrement leurs hectares de nectar divin, anciennes bastides à la traditionnelle place couverte, églises, abbayes, châteaux ou moulins fortifiés égrenés au long de routes champêtres.

Et plus on approche de l'Océan, plus les doucereuses et piquantes senteurs de pin se font présentes. Le littoral s'abandonne au sable, aux belles dunes à peine retenues par les oyats chevelus et dont le fleuron est sans conteste le Pilat. La célèbre dune est suffisamment vaste pour qu'on puisse se créer d'intenses émotions sahariennes... Depuis ses sommets se déroulent l'arrière-pays et le bassin d'Arcachon, petite mer intérieure presque fermée par le Cap-Ferret, que domine la silhouette des cabanes tchanquées. Près des ostréiculteurs et des pêcheurs, Arcachon joue toujours de ses charmes de grande dame, aux belles villas éclectiques d'une époque pourtant révolue.

LA SAUVE-MAJEURE, CETTE ANCIENNE ABBAYE DE STYLE ROMAN SAINTONGEAIS DONT LES SEULES RUINES SONT GRANDIOSES, FUT FONDÉE AU XIe SIÈCLE ET CONNUT LA PROSPÉRITÉ JUSQU'À LA FIN DU MOYEN ÂGE. SON NOM, D'ORIGINE LATINE, SIGNIFIE « LA GRANDE FORÊT ». IL EN EST AINSI CAR LES MOINES BÉNÉDICTINS CHOISIRENT DE L'IMPLANTER EN PLEIN CŒUR DES BOIS, QU'ILS DURENT ALORS DÉFRICHER.

SAINT-ÉMILION... LA PETITE CITÉ GIRONDINE SISE EN
AMPHITHÉÂTRE DERRIÈRE SES FORTIFICATIONS N'A PAS QUE
DES ATOUTS ALCOOLISÉS ! ELLE RECÈLE DES TRÉSORS
ARCHITECTURAUX, DONT UNE RARISSIME ÉGLISE MONOLITHE,
CREUSÉE DANS LA FALAISE VRAISEMBLABLEMENT DU VIIIe AU
XIIe SIÈCLE, APRÈS LA MORT DU SAINT FONDATEUR DE LA VILLE.

APPORTÉ PAR L'OCÉAN, DESSÉCHÉ PAR LES VENTS, LE SABLE MARIN S'EST ACCUMULÉ
EN COLLINES MOUVANTES, GRIGNOTANT PEU À PEU L'ESPACE VERS L'INTÉRIEUR DES TERRES.
C'EST UN INGÉNIEUR DES PONTS ET CHAUSSÉES QUI, À LA FIN DU XVIIIᵉ SIÈCLE,
CONÇUT UNE DIGUE POUR STOPPER L'ENVAHISSEUR ET DES PLANTATIONS POUR LE FIXER.

Depuis largement
plus d'un siècle,
été comme hiver, les
randonneurs pyrénéens
quittent la route à Pont
d'Espagne, où se rejoignent
les gaves de Gaube et du
Marcadau, pour suivre le
même sentier... Au bout
du chemin, à 1 728 mètres
d'altitude, s'étale
le magnifique lac de Gaube,
alimenté par les glaciers
du Vignemale.

Les Pyrénées

Dans la splendide vallée
qui suit la Neste de la Géla,
partie du lac de Barroude
à 2 355 mètres d'altitude en
bordure de la frontière
espagnole, se cache près des
hameaux d'Aragnouet un
pur joyau de l'art roman :
une chapelle des Templiers
du XIIE siècle, lançant un
caractéristique clocher-
mur méridional.

I n'y a plus de Pyrénées, tel est le bon mot que le diplomatique Voltaire attribue à Louis XIV, lorsque son petit-fils est proclamé roi d'Espagne. Cette barrière naturelle et symbolique entre deux nations long-temps rivales est aussi un patrimoine commun qui s'étire sur 450 kilomètres, du golfe de Gascogne au golfe du Lion. La chaîne montagneuse offre sur son versant français les paysages les plus grandioses. Des cirques glaciaires dignes des Titans barrent des vallées aux allures étranges de bout du monde ; des gouffres béent telles des portes vers l'enfer ; des grottes cachent d'ancestraux mystères, comme la grotte de Gargas, où figurent depuis 30 000 ans d'étranges mains mutilées ; de fabuleux chaos évoquent tout à la fois un avant-goût d'apocalypse et une image du « chaos primitif » pour George Sand. Cascades bouillonnantes, torrents furieux, forêts épaisses, envoûtants lacs bleus et ports (ainsi nomme-t-on les cols pyrénéens) ouvrant sur les pelouses alpines où les bêtes passent l'estive, le gigantisme des Pyrénées et la puissance des émotions suscitées sont à l'image de la faille de 80 mètres qui entaille la couronne du cirque de Gavarnie : c'est la brèche de Roland, qui brisa là son épée Durandal pour ne la point livrer à l'ennemi... Pourtant, depuis des siècles, aventuriers, contreban-diers, soldats, bergers, pèlerins en route vers Saint-Jacques-de-Compostelle ont tous bravé les dangers et la peur au long des vertigineux chemins. Mais les Pyrénées offrent également le chaleureux visage des petits villages, des stations thermales pittoresques, comme Eaux-Bonnes ou Cauterets et ses nombreuses sources. Si l'identité du Pays basque, du Béarn, de la Bigorre ou encore de la Gascogne n'est plus à démontrer, l'isolement séculaire des vallées pyrénéennes a façonné une multitude de petits pays, tout aussi attachés à leurs particularismes et à leur indépendance d'esprit. Quant aux grandes villes, Bayonne, Pau, Tarbes, Perpignan, elles ont choisi les plaines et les collines du Piémont où profitent les vignobles du Jurançon, du Madiran, du Banyuls pour y couler des jours tranquilles.

La place forte de Villefranche-de-Conflent a vu le jour au XIᵉ siècle, pour régler un problème... de voisinage. Le comte de Cerdagne comptait ainsi se prémunir contre les écarts de son accaparant voisin, comte également, mais du Roussillon, en verrouillant définitivement l'étroite gorge de la vallée de la Têt.

48

La forêt de sapins descend
jusqu'aux rives du lac
de Gaube, que domine du
haut de ses 3 298 mètres
le Vignemale, le plus haut
sommet de la chaîne
pyrénéenne, côté français.
Un romantique Irlandais
du siècle dernier y fit
creuser des grottes en guise
d'abri pour observer
les splendeurs du paysage...

Un sentier de grande
randonnée (le GR 10) suit
toute la vallée de Gaube,
le long du gave dont
les eaux descendent
du Vignemale en écumant
lorsque fondent les neiges.
Presque dix kilomètres
de paysages sauvages et
puissants, placés sous
l'attentive protection du
parc national des Pyrénées.

La rue Saint-Jean permet de traverser le village de Villefranche-de-Conflent de part en part, de la porte d'Espagne à l'ancienne porte comtale, au long de bâtisses classées, de type catalan médiéval, des XIIIe et XIVe siècles.

DANS CETTE VILLE
PRINCIPALEMENT
ÉDIFIÉE EN MARBRE ROSE
DES CARRIÈRES
LOCALES, L'APPARENTE
HOMOGÉNÉITÉ DES
BÂTISSES, AVEC LEURS
MAGNIFIQUES PORCHES
EN PLEIN CINTRE OU
EN ARC BRISÉ,
NE BRIME NULLEMENT
LES MULTIPLES
VARIATIONS DU BÂTI
NI L'EXPRESSION
PERSONNELLE
DES HABITANTS...

LA RUE SAINT-JACQUES,
QUI SUIT UN TRACÉ
PARALLÈLE À LA RUE
SAINT-JEAN ET VIENT
MOURIR SUR LA PLACE
DE L'ÉGLISE, OFFRE
ÉGALEMENT SON LOT
DE DÉTAILS RUSTIQUES,
TELLE CETTE
MAGNIFIQUE PORTE
CLOUTÉE À
L'IMPRESSIONNANTE
SERRURE EN FER FORGÉ.
L'AUTHENTICITÉ EST
ENCORE UNE VALEUR
SÛRE À VILLEFRANCHE !

GUILHEM ÉTAIT DUC
D'AQUITAINE.
SEIGNEUR DE GUERRE
QUI BOUTA LES
MUSULMANS HORS DU
PAYS LANGUEDOCIEN,
IL REÇUT LA GRÂCE ET
PARTIT FONDER UN
MONASTÈRE SUR LES
GORGES DE L'HÉRAULT.
SAINT-GUILHEM-LE-
DÉSERT A GARDÉ UN
CACHET RARE, AVEC SON
ÉGLISE ABBATIALE, SES
MAISONS ROMANES, SES
RUELLES ÉTROITES ET
PITTORESQUES.

Le Languedoc

Séparé des eaux salées
du golfe du Lion par la
« barre », mince cordon de
sable et de graviers, l'étang
de Vic accueille les
flamants roses et nourrit
dans ses eaux saumâtres
anguilles, daurades ou
loups. Une tradition orale
rapporte d'ailleurs
qu'aurait jadis existé là un
port, baptisé Vic-les-Étangs.

Dans les environs de
Pézenas, près du petit
village de Caux, qui peut
s'enorgueillir de posséder
des maisons des XVE et
XVIIE siècles, le cheval est
revenu travailler dans
les vignes ! Une image
surprenante, mais qui n'est
pas unique dans cette
région où les contrastes et
les anachronismes sont
monnaie courante.

Le nom même de cette ancienne province française atteste de la spécificité du pays, qui s'est articulé autour de la langue d'oc. Dès le IXe siècle, ce terroir frondeur assoit son autonomie linguistique à l'égard des pays du Nord à la triste et fade langue d'oïl... Seul le XIXe siècle, qui rend obligatoire l'étude du français à l'école, saura ramener la brebis égarée dans le giron national. Sans pour autant affaiblir la personnalité languedocienne ! Car, pendant des siècles, le Languedoc s'est forgé une histoire propre, mouvementée, passionnelle, qui a laissé ses marques à fleur de terre et au tréfonds des âmes. Hérault, Aude, Gard, Tarn... regorgent de ces souvenirs : sites préhistoriques, vestiges de la colonisation grecque, dont le formidable oppidum d'Ensérune, héritages romains, comme le pont du Gard, les arènes de Nîmes ou la fameuse *Via Domitia*, axe vital du Languedoc tracé par le consul Domitius Ahenobarbus après qu'il eut installé une garnison à Toulouse, qui deviendra la cité la plus prospère de toute la province narbonnaise.

Le pays dorlote aussi ses villes nouvelles des XIe et XIIe siècles, telles Montpellier ou Alès, et garde comme un poing levé les bouleversants vestiges des forteresses cathares. La religion cathare cherchait la pureté originelle à travers la vie exemplaire des parfaits et n'imaginait pas que Dieu ait pu créer la terre. Seul Satan avait pu faire œuvre aussi abjecte. Hérésie ! La croisade puis la sanglante Inquisition menée par les dominicains auront raison des albigeois, mais aussi d'une culture locale illuminée par les troubadours, chantant l'amour courtois de bien moderne manière. Aux XIIIe et XIVe siècles surgissent les fameuses bastides, conçues selon un rigide damier romain autour des typiques places à arcades et des halles qui subsistent encore nombreuses aujourd'hui. À ceux qui tentent l'aventure sont octroyés des lots identiques, répartis équitablement, des chartes, des franchises et, même, la liberté ! Sur le Languedoc a vraiment soufflé l'esprit, un esprit progressiste et humaniste venu d'on ne sait où...

ENFOUIE SOUS UN BOSQUET
TOUFFU, POSÉE SUR UN
AFFLEUREMENT VOLCANIQUE
AU MILIEU D'UN ÉTANG MAIS
RELIÉE À LA TERRE DEPUIS
LE XVIIE SIÈCLE, L'ANCIENNE
CATHÉDRALE ROMANE
DE MAGUELONE FUT UN HAUT
LIEU DE LA SPIRITUALITÉ.
ASILE DE NOMBREUX PAPES,
CETTE « DEUXIÈME ÉGLISE
APRÈS ROME » FUT
MÊME ÉRIGÉE EN BASILIQUE...

UNE ÉRUPTION
VOLCANIQUE, UNE
COULÉE DE LAVE
GLISSANT DEPUIS LE
MONT SAINT-LOUP
JUSQU'À LA MER...
AINSI SONT NÉS LES
PROMONTOIRES ROCHEUX
DU MÔLE ET DU CAP,
AU CAP D'AGDE, UN SITE
EXCEPTIONNEL SUR UNE
CÔTE LANGUEDOCIENNE
PARTOUT AILLEURS
VOUÉE AUX PLAGES DE
SABLE, MAIS QU'UN
RÉCENT EFFONDREMENT
A MUTILÉ.

UN TRÈS PUISSANT
PARFUM D'AILLEURS
FLOTTE SUR CES RIVAGES
LONGS ET PLATS,
CRAQUELÉS PAR LA
SÉCHERESSE... TELLES
ÉTAIENT CERTAINEMENT
JADIS LES TERRES QUI
BORDAIENT LE GOLFE
DU LION, SAUVAGES,
INSALUBRES ET
INHOSPITALIÈRES. MAIS
CE SITE SURPRENANT
EST TOUT SIMPLEMENT
CELUI DES BORDS DE
L'ÉTANG DE VIC, AU SUD
DE MONTPELLIER.

L'ENSEMBLE DU RIVAGE
DU LANGUEDOC RECÈLE
DE TRÈS NOMBREUX
VESTIGES ANTIQUES,
AMPHORES, ANCRES,
ARMES, BIJOUX,
VAISSELLE OU BRONZES,
TEL LE CÉLÈBRE ÉPHÈBE
D'AGDE, DÉCOUVERT
EN 1964 DANS LE FOND
DU LIT DE L'HÉRAULT.
AU CAP D'AGDE MÊME
A SURGI DE L'OUBLI
UN VILLAGE ENTIER,
EMBONNE, QUI
COMMERCIALISAIT LES
PRODUITS LOCAUX.

L'ENTRÉE DANS LES GORGES DE L'HÉRAULT SE FAIT PAR
L'IMPRESSIONNANT PONT DU DIABLE. LA LÉGENDE RACONTE
QUE C'EST SAINT GUILHEM LUI-MÊME QUI L'AURAIT
CONSTRUIT. LES GORGES SE RESSERRENT APRÈS LA BELLE CITÉ
FONDÉE PAR LE SAINT HOMME, EMPRISONNANT L'EAU VERTE
ENTRE LEURS FLANCS ÉRODÉS AUX ABRUPTES PAROIS.

VÉRITABLE ÉCHINE DE CALCAIRE CULMINANT À 658 MÈTRES
D'ALTITUDE, LE PIC SAINT-LOUP OFFRE UN PANORAMA
DE TOUTE BEAUTÉ SUR LES GARRIGUES, LE VILLAGE DE
SAINT-MARTIN-DE-LONDRES, LA MONTAGNE DE L'HORTUS
ET LES RUINES DU CHÂTEAU DE MONTFERRAND. REPÈRE
INCONTOURNABLE DANS LE PAYSAGE, C'EST AUSSI
UN GISEMENT D'AMMONITES.

PRÉCURSEUR DANS
L'AMÉNAGEMENT DU LITTORAL,
LE SITE DE LA GRANDE-MOTTE
EN EST AUSSI LE CLICHÉ
LE PLUS EXPRESSIF. SORTI DU
SABLE ET DE L'EAU DANS LES
ANNÉES SOIXANTE, LA STATION
DOIT SON NOM À LA PLUS
GRANDE DES DUNES QUI FUT
ARASÉE POUR LUI LAISSER
PLACE. SON PORT EN EST
LE CŒUR ACTIF, JALONNÉ DE
CAFÉS ET DE RESTAURANTS.

LE CLOÎTRE DE LA CATHÉDRALE
SAINT-SAUVEUR ÉGRÈNE,
SOUS SA GALERIE CHARPENTÉE,
DE FINES COLONNETTES
SOUTENANT DES CHAPITEAUX
MALHEUREUSEMENT ABÎMÉS.

SUR LA PLACE DE L'HÔTEL-
DE-VILLE S'ÉLÈVE LE BEFFROI,
DONT L'ANCIENNE HORLOGE
ASTRONOMIQUE RYTHME DE SES
STATUES, QUATRE COMME LES
SAISONS, LA VIE DES AIXOIS
VENANT SE « RADASSER » AUX
TERRASSES ENSOLEILLÉES.

Aix-en-Provence

Derrière l'image stéréotypée de la belle provençale vit une Aix changeante, insaisissable comme les paysages et les lumières qui fascinaient tant Cézanne, le fils du pays. Bourg comtal et bourg médiéval serré autour de sa cathédrale se prélassent dans l'ombre ocrée des belles bâtisses, bercés par le glougloutement frais des fontaines. Les Aixois pratiquent assidûment le rituel quotidien du marché sous les platanes de la place Richelme, depuis, dit-on fièrement, le temps du « bon roi René » ! Noblesse et parlement ont forgé le destin de la ville, son architecture, ses mentalités. Les hôtels particuliers arborent d'exubérantes décorations sculptées, des cariatides et d'infatigables atlantes grimaçant bien souvent sous leur charge ! Cette course à l'apparat trouve écho dans la décoration intérieure, la profusion des gypseries, peintures, sculptures, marbres, et dans les escaliers monumentaux, justement baptisés « de vanité ». Aujourd'hui, Aix a changé, mais elle a gardé ses allures de comtesse et ses folies de coquette.

LES RUES TORTUEUSES
DU VIEUX QUARTIER
MÉDIÉVAL ENSERRENT
LA CATHÉDRALE
SAINT-SAUVEUR, QUI
A CONSERVÉ SA NEF
ROMANE, SON CLOÎTRE
DES XIIE ET XIIIE SIÈCLES,
AINSI QUE SON
BAPTISTÈRE DES IVE ET
V^E SIÈCLES. L'ÉDIFICE
JOUE DES OCRES ET DES
BRUNS, COMME TOUTES
LES TOITURES AIXOISES
AUX RONDES TUILES
QU'IL DOMINE.

Aix doit ses chaudes couleurs à la pierre de Bibemus, calcaire argileux. Ce n'est pas un hasard si Cézanne loua un cabanon dans ces carrières rouges, dont l'horizon s'achève sur la mythique Sainte-Victoire...

Le moindre rayon de soleil vient dorer les pierres des hôtels particuliers du quartier Mazarin, construit par les Aixois qui achetaient leur charge parlementaire en même temps que leur titre de noblesse.

Les seules pierres blanches qu'on puisse trouver à Aix sont les pierres de réemploi des anciennes constructions romaines, principalement sur les monuments. Sur les bâtisses règnent donc les ocres.

Même les architectures plus récentes cèdent à la tradition locale, qui fait d'ailleurs partie intégrante de l'image d'Aix, la provençale par excellence. Ses ciels denses rehaussent si bien sa palette colorée...

LA PLACE D'ALBERTAS, QUI SEMBLE CONÇUE AUTOUR DE LA MONUMENTALE FONTAINE CIRCULAIRE, ALIGNE SES HÔTELS PARTICULIERS EN UNE CLASSIQUE HARMONIE BIEN CARACTÉRISTIQUE DU XVIIIᵉ SIÈCLE. C'EST CERTAINEMENT L'UNE DES RARES PLACES AIXOISES QUI N'ACCUEILLENT NI TABLES NI CHAISES OÙ PROFITER DU BON TEMPS QUI ROULE !

LES AIXOIS SONT COMME CELA ; ILS VIVENT DEHORS, NE BOUDENT PAS LE SOLEIL SOUS LE FALLACIEUX PRETEXTE QU'ILS EN ONT PRESQUE TOUTE L'ANNÉE ! D'UN TEMPÉRAMENT PLUTÔT HEUREUX, ILS CONNAISSENT TRÈS BIEN LEUR CITÉ, SAVENT LA RACONTER AVEC AUTANT D'AMOUR QUE D'HUMOUR, PRÊTS À SORTIR LES ÉTENDARDS POUR LA DÉFENDRE.

SES BÂTISSES ET
SON ÉGLISE BAROQUE
EN GRANIT ROSE,
AU CAMPANILE BIEN
AJOURÉ, S'ÉTAGENT
EN BELVÉDÈRE PARMI
LES OLIVIERS ET
LES VERGERS DANS UN
AMPHITHÉÂTRE
MONTAGNEUX. LUMIO
SURVEILLE AINSI DEPUIS
SES DEUX CENTS MÈTRES
D'ALTITUDE LA PLAINE
DE BALAGNE ET
LE GOLFE DE CALVI
JUSQU'À LA POINTE DE
LA REVELLATA.

La Corse

DESSINANT DE
VÉRITABLES FORÊTS
DANS LE SUD DE LA
CORSE, LE CHÊNE-LIÈGE
N'EST DÉPOUILLÉ DE SON
ÉCORCE PROTECTRICE
QU'UNE FOIS TOUS
LES SIX OU SEPT ANS,
EN FIN D'ÉTÉ. AINSI
DÉNUDÉ, L'ARBRE LAISSE
APPARAÎTRE SON BOIS
COULEUR DE BRIQUE.
LES CHÊNES-LIÈGES
SONT ENCORE EXPLOITÉS
AUJOURD'HUI, DANS
LA RÉGION DE PORTO-
VECCHIO SURTOUT.

Cette montagne surgie de la mer nourrit un univers à part, maniant avec autant de dextérité la vendetta, le chant polyphonique ou le culte napoléonien, dans un décor grandiose et encore sauvage. De rocailleux chemins muletiers peinent à travers les hautes futaies et les inextricables maquis jusqu'au fond des vallées perdues, culs-de-sac ou inaccessibles gorges que dominent des crêtes acérées... Là se nichent des bergeries et des villages, leurs solides maisons de pierre sèche ouvrant de plain-pied sur la grande pièce commune et le traditionnel « fucone », dalle où rougeoie le foyer destiné à chauffer, cuire, sécher et réunir. Seule la partie orientale de l'île offre un plat relief de plaine. C'est là d'ailleurs, à Aléria, qu'au VIᵉ siècle avant Jésus-Christ les Grecs établirent un comptoir prospère, relayés par les Romains, dont les vestiges sont nombreux. Raids et invasions barbares poussent la population à abandonner le site pour les hautes vallées de l'arrière-pays. Envasée, la plaine se mue en un gigantesque bouillon de culture où régnera longtemps la malaria. Dominant la plaine orientale s'étire la Castagniccia, l'ancienne châtaigneraie fournissant la base de la nourriture corse. Si les villages sont pour la plupart abandonnés aujourd'hui, la région, qui était jadis le secteur le plus peuplé de l'île, recèle un passionnant patrimoine bâti. Chaque recoin de l'île offre ainsi son lot d'histoire et de découvertes : les ostentatoires tombeaux familiaux dispersés dans les collines et signalés par de hauts cyprès ; les tours génoises, ces postes de guet des XVᵉ et XVIᵉ siècles au sommet desquels on allumait des feux en cas d'alerte ; les églises romanes et baroques ; les dolmens ou bien les plates statues-menhirs d'une civilisation mystérieuse, les Torres, découvertes dans le maquis de Filitosa. Et le charme des villes, Ajaccio, Bastia, Calvi... Leurs larges pas-d'âne montant à l'assaut des pentes, leurs étroites ruelles dévalant jusqu'aux marinas animées, près des criques et des « calanche » où les falaises s'élèvent à l'aplomb des flots. Sur quelques kilomètres, la Corse sait merveilleusement varier les paysages et les ambiances.

Il est tombé un jour de la falaise. On l'a nommé le « Grain de sable », ce pourtant gros bloc calcaire que les flots sapent continuellement. Il sert d'amer aux bateaux ralliant les fabuleuses grottes marines creusées dans les falaises à pic, hautes de soixante mètres, qui dessinent l'étroit promontoire de Bonifacio.

Les côtes corses constituent un vrai paradis pour la navigation de plaisance,
grâce aux larges golfes, aux criques bien abritées, aux grottes marines,
aux calanques ou encore aux îlots, presque une centaine, qui entourent l'île
principale. Mais gare au temps, qui peut se transformer très rapidement !

CERTAINES CRIQUES
NE SONT ACCESSIBLES
QUE PAR MER, ET
PARFOIS MÊME AVEC
D'INFINIES
PRÉCAUTIONS, CAR LES
ABORDS SONT TRAÎTRES.
D'AUTRES PEUVENT
ÊTRE REJOINTES PAR
TERRE, MAIS LE
PARCOURS DEMANDE
UNE CERTAINE DOSE DE
PERSÉVÉRANCE...
À L'ARRIVÉE, UN CADRE
VRAIMENT SAUVAGE
RÉCOMPENSE TRÈS
LARGEMENT L'EFFORT
CONSENTI.

LA DIVERSITÉ GÉOLOGIQUE
ET CLIMATIQUE DE L'ÎLE, ALLIÉE
À LA PLURALITÉ DES COUTUMES
LOCALES, PEUT EXPLIQUER
LA GRANDE VARIÉTÉ
DE L'HABITAT CORSE. MAIS,
DU NORD AU SUD, LES MAISONS
SEMBLENT TOUJOURS FAIRE
LE GUET CONTRE UN ENNEMI
ÉVENTUEL. ET, SURTOUT, ELLES
OFFRENT UN LARGE ÉVENTAIL
DE PLAISIRS POUR LES YEUX.

L'organisation sociale corse reste aujourd'hui encore articulée autour de petites communautés et, surtout, de la famille. Cet esprit de clan et d'indépendance si cher aux Corses prend ses racines très loin dans le temps, mais c'est au XIVe siècle qu'il acquiert une forme concrète. Une révolte anti-seigneuriale se propage à partir de l'En-deçà-des-monts, c'est-à-dire la partie nord-est de l'île. Les communautés établissent un régime de propriété collective des terres, s'inspirant certainement des modèles italiens. Ajaccio et le pays qu'on nommait l'Au-delà-des-monts resteront cependant fidèles aux modèles féodaux, justifiant ainsi leur appellation de « terre des seigneurs ». Ancestrale, l'organisation communautaire se nourrit de traditions culturelles qui souffrent devant la modernité. Ainsi du chant traditionnel corse, animant jadis les fêtes ou la vie familiale et qui retrouve, de justesse, un nouveau souffle grâce au folklore. Mais, quoi qu'il en soit, un Corse, même émigré, reviendra au pays se ressourcer, y mourir et y reposer...

LES VILLES CORSES ONT
INCONTESTABLEMENT
CONSERVÉ UNE BONNE DOSE
D'AUTHENTICITÉ. AU FIL
DES RUELLES PENTUES SE
DÉROULENT DES SCÈNES DE LA
VIE CORSE. ET PRÈS DES PORTS,
IL N'EST PAS RARE DE
RENCONTRER LES PÊCHEURS
TRAVAILLANT À REMETTRE
LEURS GRANDS FILETS EN ÉTAT,
TEL CE CORSE DE LA ROCH
VIACARA, À BASTIA.

À UNE QUARANTAINE DE KILOMÈTRES DE SOLENZARA, LE SITE DE BAVELLA ÉTALE SA FORÊT
PLANTÉE DE PINS LARICIO, DE CÈDRES ET DE SAPINS AU PIED DE L'IMPRESSIONNANTE
MURAILLE ROCHEUSE DE LA CALANCA MURATA ET DES AIGUILLES DE BAVELLA.

La Restonica prend sa source dans le massif du Rotondo, puis se rétrécit jusqu'à devenir un tumultueux torrent qui cascade sur d'énormes rochers, s'encaissant entre des aiguilles et des crêtes rocheuses parfois couronnées de pins.

LE CAP DE PERTUSATO,
À QUELQUES ENCABLURES
DE BONIFACIO, CONSTITUE
LA POINTE EXTRÊME DE L'ÎLE,
AU SUD. SON NOM ÉVOQUE
UNE TRÈS LONGUE GALERIE
SOUTERRAINE QUI PERCE
LES FALAISES. LE PHARE DE
PERTUSATO EMBRASSE UN TRÈS
LARGE PANORAMA,
DEPUIS BONIFACIO JUSQU'À
LA CÔTE SARDE DANS LE
LOINTAIN HORIZON.

LA VILLE HAUTE DE BONIFACIO,
JUCHÉE SUR SES FALAISES
CALCAIRES, EXHALE UNE
ENVOÛTANTE ATMOSPHÈRE
MOYENÂGEUSE, AVEC SES
ÉTROITES RUES PAVÉES,
SES EMMARCHEMENTS
TRÈS HAUTS, SES ÉTONNANTS
ARCS-BOUTANTS QUI
ENJAMBENT LES RUELLES EN
RELIANT LES MAISONS, SES
PASSAGES SOUS VOÛTES ET SES
ANCIENNES FORTIFICATIONS.

DANS LE DÉPARTEMENT
DE L'ISÈRE, PONT-EN-ROYANS
ENRACINE SES HAUTES MAISONS
DANS LE ROC, JUSTE
AU DÉBOUCHÉ DES GORGES
DE LA BOURNE. DANS
LES EAUX VERTES DU TORRENT
MIROITE UNE NATURE
PARTICULIÈREMENT
LUXURIANTE, MAGNIFIQUE
ÉCRIN POUR CETTE PETITE CITÉ
AUX RUELLES ÉTROITES ET
TORTUEUSES PRÈS DES GRANDS
SITES DU VERCORS.

Le Dauphiné

Dès le début de l'été, le Sud drômois se saoule à l'entêtant parfum des grands champs de lavande, les mauves *baïassières*. Plus tard, coupées en bottes, les fleurs sécheront sur place en embaumant une dernière fois avant de partir à la distillation.

COMME LA PLUPART
DES VILLAGES
DE LA RÉGION DE NYONS,
SAINT-MAY OFFRE AU
CIEL DENSE ET LUMINEUX
L'APPAREILLAGE
RUSTIQUE DE SES PIERRES
CALCAIRES ET SES PLATES
TOITURES DE TUILES
RONDES. CE PETIT
VILLAGE DE LA DRÔME
EST ALLÉ PERCHER
SES MAISONS DANS
UN MAGNIFIQUE ÉCRIN
SAUVAGE, PRÈS DES
GORGES DE L'AYGUES.

CAPITALE DE LA TANCHE, SEULE OLIVE FRANÇAISE À BÉNÉFICIER D'UNE APPELLATION
D'ORIGINE CONTRÔLÉE, NYONS JOUIT, EN PLUS DE SA RÉPUTATION INTERNATIONALE,
D'UN ENVIRONNEMENT SUPERBE ET DÉJÀ TRÈS PROVENÇAL. LES MONTAGNES ARIDES VEILLENT
SUR LES OLIVERAIES, QUI BRUISSENT ET SCINTILLENT AU MOINDRE SOUFFLE D'AIR.

UN MÉLANGE DE
PLAINES CULTIVÉES
ET HABITÉES, DE VERTES
FORÊTS, DE RELIEFS
MONTAGNEUX...
TEL PEUT APPARAÎTRE
LE DAUPHINÉ, QUI
TROUVE CERTAINEMENT
SA REPRÉSENTATION LA
PLUS CONTRASTÉE
DANS LE DÉPARTEMENT
DE LA DRÔME. DES
COULEURS, DES ODEURS,
DES FORMES ET
DES CULTURES QUI
DESSINENT
UNE HARMONIEUSE
PLURALITÉ.

Le Dauphiné affectionne les contrastes, entre relief alpin, collines des Préalpes et plaines de la vallée du Rhône, qui lui sert de limite ouest. Au fil du grand fleuve, le pays quitte insensiblement les paysages du Lyonnais pour les paysages provençaux, croisant les plaines de Valence puis de Montélimar aux traditionnelles maisons qui offrent au nord et au mistral une façade aveugle, souvent protégée d'une haie, et réservent au midi leur visage le plus avenant. La Drôme est véritablement la porte du Midi, avec ses oliveraies argentées, ses *baïassières*, mot patois pour les grands champs de lavande prospérant sur les coteaux arides, ses anciennes terrasses cultivées retenues par les murets de pierre sèche, ses cyprès et ses vignes... Dans ce terroir traversé par la rivière qui lui a donné son nom, passant par Die, qui s'enivre au succès de sa mousseuse clairette, un bout du Vaucluse est même resté pris, depuis la Révolution française : c'est l'enclave des papes, ancienne possession pontificale autour de Valréas. Au sud du département, le Tricastin, qui doit son nom au peuple gaulois des Tricastini, perche ses villages dans un paysage de collines assoiffées bien méditerranéen. La Drôme de l'est est celle des Préalpes, du Vercors, du Diois, des Baronnies, qui se dépeuplent au profit de l'axe rhodanien. Grandes forêts, hauts plateaux, gorges étroites comme celles des Petits et des Grands Goulets, falaises rocheuses en spectaculaires surplombs cachent des royaumes pour spéléologues, dont le plus profond gouffre du monde, le gouffre Berger. La Drôme se nourrit d'un kaléidoscope de terroirs, de couleurs et de saveurs. Montélimar, mecque du nougat, Saou et son goûteux picodon, Tricastin et ses délices de truffes, Buis-les-Baronnies, qui produit et vend le meilleur tilleul du monde, Nyons, capitale mondiale de l'olive, la noire tanche pressée comme aux temps jadis et fêtée chaque année lors des Olivades par la Confrérie des oliviers, créée en 1964 sous la présidence de Jean Giono, qui décrivait la région comme un « admirable pays de collines heureuses et de lumière ».

LES FONTAINES SONT
INSÉPARABLES DES VILLAGES
DE LA DRÔME, QUI, NON
SATISFAITS D'EN POSSÉDER UNE,
EN CUMULENT PARFOIS
PLUSIEURS ! POSÉES SUR
LA PLACE PRINCIPALE,
À LA CROISÉE DE DEUX RUES,
OU BIEN ENCASTRÉES DANS
UNE FAÇADE, ELLES
RYTHMENT LES JOURS DE
LEUR FRAIS GARGOUILLIS,
PARTICULIÈREMENT ATTRACTIF
PAR GROSSES CHALEURS.

NON LOIN DE LA FORÊT
DE SAOU, DANS LA VALLÉE
DU JABRON, DIEULEFIT ARBORE
L'INÉVITABLE FONTAINE
DRÔMOISE, AU DÉBOUCHÉ
DES ÉTROITES RUELLES PAVÉES
DE SON VIEUX QUARTIER.
LE VILLAGE, QUI A CONSERVÉ
DES FORTIFICATIONS,
VIT ENCORE EN PARTIE
DE LA POTERIE, ARTISANAT
PRATIQUÉ ICI DEPUIS LES TEMPS
PRÉHISTORIQUES.

SI L'EXPLOITATION
FORESTIÈRE EST UNE
ACTIVITÉ IMPORTANTE
POUR UNE PARTIE DU
DAUPHINÉ, DONT LE
VERCORS, LE BOIS RESTE
NÉANMOINS UNE
RESSOURCE DISPONIBLE
POUR TOUS. IL N'EST PAS
RARE DE CROISER
DANS LES MONTAGNES
DES HABITATIONS
QUI S'ENTOURENT AINSI
D'UNE CONSISTANTE
PROVISION
DE COMBUSTIBLE
POUR L'HIVER.

DE L'EAU PURE ET
UN CASSE-CROÛTE AU
PICODON, LE FROMAGE
DE CHÈVRE DRÔMOIS...
UN EN-CAS IDÉAL POUR
LE BERGER ! LE PICODON
EST ENCORE FABRIQUÉ
SELON DES MÉTHODES
ARTISANALES FIDÈLES
À CELLES D'ANTAN :
ON LAISSAIT SÉCHER
LE FROMAGE ENTRE
DES FEUILLES DE VIGNE
OU DE CHOU,
FAVORABLES À UNE
FERMENTATION IDÉALE.

Entrevaux

Un site époustouflant que celui d'Entrevaux !
Une impressionnante citadelle accrochée au
sommet d'un piton, une ligne de fortifications
qui zigzague sur une arête rocheuse jusqu'au bourg en
contrebas, ramassé derrière de magnifiques remparts
sur la rive gauche du Var. La petite cité a gardé intacte
son allure de place forte militaire, verrou stratégique
contrôlant toute la vallée et l'accès aux cols des Alpes.
Entrevaux fut d'ailleurs fortifié de si dissuasive manière
par Vauban qu'il n'eut même pas à subir d'assauts ! Un
pont de pierre élancé saute la tumultueuse rivière verte
jusqu'à la porte Royale, pont-levis flanqué de deux
tours rondes à l'aspect délicieusement moyenâgeux.
Trois places successives forment le cœur du village,
d'où partent des rues sombres et étroites engoncées dans
le carcan des hautes maisons, en majorité des XVIIᵉ et
XVIIIᵉ siècles. Emmarchements, ruelles et passages dessinent un labyrinthe pittoresque, dans une ambiance
méridionale à souhait.

LE PONT DE PIERRE QUI
SE LANCE, SUR UNE JAMBE,
JUSQU'AU PIED DE LA PORTE
ROYALE EST PRÉCÉDÉ D'UN
OUVRAGE AVANCÉ, UNE TOUR
À MÂCHICOULIS DU TOUT
DÉBUT DU XVIIIe SIÈCLE.
DEUX PONTS-LEVIS
DÉFENDAIENT DONC L'ENTRÉE
SUD D'ENTREVAUX. RIEN
D'ÉTONNANT À CE QUE
LA PLACE FORTE N'AIT JAMAIS
ÉTÉ ASSIÉGÉE APRÈS
LE PASSAGE DE VAUBAN !

LES VOIES ENCLAVÉES À L'OMBRE DES MAISONS HAUTES ET ÉTROITES CRÉENT UN ESPACE MINÉRAL. SEULES LES PLACES SAINT-MARTIN ET DU PANIER, ANIMÉES DE COMMERCES, DE CAFÉS, DE RESTAURANTS OFFRENT UN PEU DE VERDURE. QUANT À LA PLACE DE L'ÉGLISE, ELLE APPORTE LA NOTE RAFRAÎCHISSANTE DE SA FONTAINE EN FORME D'ABREUVOIR.

L'ÉGLISE DE STYLE GOTHIQUE D'ENTREVAUX, ÉLEVÉE AU XVIIᵉ SIÈCLE, DRESSE CONTRE LA PORTE D'ITALIE UN CLOCHER CRÉNELÉ À LA RUDESSE QUASI MILITAIRE. DERRIÈRE SA PORTE AUX MAGNIFIQUES VANTAUX SCULPTÉS, NOTRE-DAME LANCE UNE NEF UNIQUE, TRÈS SOMBRE, QUI VIENT PRENDRE UN PEU DE LUMIÈRE AUPRÈS DES RICHES DORURES À L'ITALIENNE DU CHŒUR.

DEPUIS LES TROIS PLACES DE
LA CITÉ PARTENT TROIS RUES
PRESQUE PARALLÈLES,
LES RUES BASSE, HAUTE ET
DU MARCHÉ. UN DÉDALE
DE RUELLES ET DE PASSAGES
LES RELIE, QUI RÉSERVE
DE BIEN AGRÉABLES SURPRISES !
LES MAISONS ANCIENNES
CLAMENT QUE, SI LE VILLAGE
SE DÉPEUPLE, IL EST ENCORE
BIEN LOIN D'ÊTRE MORT.

Le Jura s'est fait une spécialité des reculées, ces courtes échancrures dans le plateau jurassien, dessinant des vallées fermées par un cirque aux abruptes parois rocheuses. Depuis le belvédère du cirque de Ladoye, dans la région de Lons-le-Saunier, la vue plonge dans un beau canyon où coule la Seille.

Le Jura

Le petit village des Planches est blotti dans la reculée des Planches,
qu'on nomme aussi d'Arbois. Le site vaut également pour les deux sources de la
Cuisance, la grande et la petite, et pour sa grotte. L'eau y cascade en période
de crue puis s'étale sereinement en transparents lacs à la saison sèche.

Un large croissant montagneux culminant à 1718 petits mètres d'altitude, des paysages de collines boisées et de plateaux... voilà qui trompe énormément, car le relief jurassien est bien plus vigoureux qu'on ne pourrait s'y attendre au premier abord ! Sa nature calcaire autorise au Jura toutes les audaces ; arêtes déchiquetées, falaises coupant les vallées en d'impressionnantes reculées, grandes étendues rocheuses ou sombres défilés.

L'eau vive règne ici en maître incontesté. Des lacs en pagaille, des sources, des résurgences, des cascades, dont le fleuron est indiscutablement celles du Hérisson. Les cours d'eau suivent des tracés alambiqués pour passer les reliefs jurassiens ; ils s'immiscent dans des gorges qui se prennent pour des canyons, s'emballent en rapides et tourbillons. Cet univers liquide, qui s'épanouit à la fonte des neiges, existe aussi en souterrain. Toute cette eau profite des fissures et cassures du terrain pour s'infiltrer, recréant un monde fascinant, occupé d'ailleurs depuis les temps préhistoriques. Combien de ces cavernes recèlent des trésors encore insoupçonnés !

Ce relief chaotique a cloisonné les vallées et généré l'éclosion de multiples petits centres de vie, villages entourant une typique fontaine monumentale, maisons basses aux ouvertures réduites afin de limiter les incursions du vent et du froid. Dans ce climat humide et particulièrement rude s'épanouissent les plus belles forêts de France. L'origine du mot Jura viendrait d'ailleurs de *juria*, « forêt » en latin. Le bois est l'ancestrale ressource économique de la région. Mais c'est aussi le matériau de base, pour construire, faire des meubles, s'équiper, s'outiller... Les agglomérations les plus importantes sont installées en bordure de massif, tels Montbéliard, Besançon, patrie des frères Lumière et de Proudhon, ou Lons-le-Saunier, ville de contact entre montagne et plaine où subsiste la maison natale de Rouget de Lisle, père de la Marseillaise. Le pays de Louis Pasteur, du comté et des pipes tournées dans la racine de bruyère par les Sanclaudiens réserve plus d'une surprise...

DANS LE PARC RÉGIONAL DU HAUT-JURA, LES TYPIQUES MAISONS DE MONTAGNE SE TASSENT POUR MIEUX RÉSISTER AUX HIVERS RIGOUREUX, REGROUPANT TRADITIONNELLEMENT SOUS UN MÊME TOIT HOMMES, BÊTES ET RÉSERVES DE FOURRAGE. PORTES ET FENÊTRES SONT GÉNÉRALEMENT SOULIGNÉES D'UNE LARGE BORDURE TRACÉE AU LAIT DE CHAUX.

PASTEUR EST NÉ À
DÔLE, EN 1822, DANS
UNE MAISON OUVERTE
AU PUBLIC DEPUIS
LES ANNÉES TRENTE.
LOUIS PASSA DANS CET
ANCIEN QUARTIER
DES TANNEURS LES CINQ
PREMIÈRES ANNÉES
DE SA VIE.
PUIS IL QUITTA SA VILLE
NATALE POUR ARBOIS,
OÙ IL VÉCUT JUSQU'À
L'ADOLESCENCE. IL Y
REVINT RÉGULIÈREMENT
POUR TRAVAILLER
ET SE REPOSER.

117

À Montaigu, un village
accroché sur le rebord d'un
plateau, vit un vigneron
dont les vins des
côtes-du-jura vieillissent
fort agréablement !
Installé dans les bâtiments
d'un ancien monastère
de chartreux, il dispose
en effet de l'ancien
cellier des moines
viticulteurs, magnifiques
caves du XIIIe siècle.

Son relief si particulier, vigoureusement plissé en monts et combes affouillées par les eaux surgissant de partout, la chaîne du Jura le doit à son terrain composé de marnes et de calcaire. Le massif jurassien a même donné son nom à la période de l'ère secondaire où se forma ce type de relief karstique.

La Lemme, qui caracole depuis sa source parmi les sapins et les rochers,
se glisse par une entaille pour rebondir en deux belles chutes successives de
presque trente mètres de haut, la cascade de la Billaude. Le petit cours d'eau avale
ensuite les eaux de la Saine puis, assagi, vient finalement se perdre dans l'Ain.

LA PLACE STANISLAS
SE NOMMA TOUT D'ABORD
PLACE ROYALE. ROYALE,
ELLE L'ÉTAIT VRAIMENT,
RESPLENDISSANT DES FEUX DE
SES GRILLES DE FER FORGÉ AUX
ENTRELACS REHAUSSÉS D'OR !

AUTOUR DE LA PLACE
STANISLAS SE DRESSENT
LES PAVILLONS CRÉÉS PAR
L'ARCHITECTE EMMANUEL
HÉRÉ, SELON LES CANONS DE
SYMÉTRIE ET D'HARMONIE
CHERS AU SIÈCLE DES LUMIÈRES.

Nancy

Beau parcours pour cette cité au confluent de la Meurthe et de la Moselle, qui commença simple poste militaire et devint capitale des ducs de Lorraine ! Autour du palais ducal, Nancy a humblement conservé son vieux quartier aux ruelles tortueuses et un peu de ses fortifications médiévales. Mais elle s'est fait plaisir : dans les larges perspectives de la Ville-Neuve érigée par un architecte italien, dans l'élégante harmonie de sa cité royale créée par Stanislas Leszczynski, roi de Pologne détrôné et héritier du duché lorrain, et, surtout, dans la splendeur classique et baroque des grilles dorées du fameux ferronnier Jean Lamour, qui relient les pavillons de la place Stanislas. Et puis, oubliant les noirs hauts fourneaux, Nancy a accouché d'une école et d'un style nouveau. Aussi ambitieux qu'elle ! S'inspirant des beautés et des formes de la nature, l'Art nouveau veut marier toutes les disciplines artistiques, architecture, peinture, décoration, mobilier... laissant de par la ville sa fantaisie magique.

123

VERRE, BOIS, FER, PÂTE DE
VERRE... S'UNISSENT DANS LE
CHAUDRON MAGIQUE DE L'ART
NOUVEAU POUR REPRODUIRE
LA GRÂCE, LA SOUPLESSE,
LA PROFUSION DE LA NATURE.

CAMPÉE SUR LA RUE LIONNOIS,
LA MAISON BERGERET OFFRE
SES MAGNIFIQUES VITRAUX
CRÉÉS PAR GRUBER ET JANIN,
DANS LE PLUS PUR STYLE
DE CET ART NOUVEAU INITIÉ
PAR GALLÉ.

AU NORD DE
L'INCONTOURNABLE PLACE
STANISLAS, LES GRILLES
FLAMBOYANTES DU SERRURIER
JEAN LAMOUR FORMENT
UN TRIPLE PORTIQUE
ENTOURANT LES FONTAINES
MONUMENTALES DE NEPTUNE
ET D'AMPHITRITE.
CES DEUX MAGNIFIQUES
ŒUVRES DU SCULPTEUR NÎMOIS
GUIBAL AJOUTENT ENCORE
À LA MAJESTÉ DU SITE,
ENVAHI PAR LES TERRASSES.

124

AU-DESSUS DES VIGNES
DE VERZENAY,
À L'ORIGINE D'UN VIN
CLASSÉ GRAND CRU,
SE DRESSENT LES AILES
D'UN MOULIN
RECONSTRUIT APRÈS
LE PREMIER CONFLIT
MONDIAL. LE PRÉCÉDENT
ÉDIFICE AVAIT ÉTÉ
ANÉANTI DURANT LES
HOSTILITÉS... ALORS
QU'IL ÉTAIT UTILISÉ
COMME OBSERVATOIRE !

La Marne

'est un plat pays tranquille où la moindre petite colline s'appelle mont... Certes, ces doux coteaux sont grands par la réputation, puisque sur leurs versants s'élabore le vin le plus célèbre de la planète, le champagne. Les Gaulois cultivaient déjà la vigne et les moines du Moyen Âge entourèrent leurs abbayes de ces grains prometteurs. Avec la bénédiction du pape ! Urbain II, qui lança la première croisade, était tout dévoué à la cause : il était né à Châtillon-sur-Marne. La tradition veut que ce soit le cellérier d'une abbaye, répondant au nom de dom Pérignon, qui ait transmuté le vin un peu pétillant de la région en ce breuvage délicat. Les sols nourrissiers sont tout de calcaire, craie fossile formée par la sédimentation d'algues microscopiques lorsque la mer recouvrait le Bassin parisien... La terre de Marne, avec ses bourgs un peu désuets, ses châteaux, ses hautes futaies et ses étangs sauvages, vit sur un vaste gruyère, galeries et caves comme des cathédrales, où s'élabore le champagne.

DANS L'ÉCRIN VERDOYANT DES PAYSAGES DES BORDS DE MARNE, LE CHÂTEAU DU RU-JACQUIER DRESSE SES TOURELLES AUX PIQUANTES TOITURES BRUNES DEPUIS LA FIN DU XVIIIᵉ SIÈCLE. LE DUC DE MORNY PRATIQUAIT ALORS SUR LES TERRES DU DOMAINE L'ÉLEVAGE DE CHEVAUX, UNE TRADITION PERPÉTUÉE PAR LES PROPRIÉTAIRES ACTUELS.

SUR LA MONTAGNE DE REIMS COURENT LES VIGNES, MAIS AUSSI LES FUTAIES DE CHÊNES, DE HÊTRES, DE CHÂTAIGNIERS. PRÈS DE VERZY, LES ARBRES SEMBLENT MÊME ATTEINTS D'UN VIRUS QUI TORD ÉTRANGEMENT LEUR BRANCHAGE.

CORPS DE LOGIS, PIGEONNIER,
BERGERIE, ÉCURIES, ABREUVOIR
SE CACHENT DERRIÈRE
LES MURS RAYÉS DE BRIQUE
ET DE GAIZE BLANCHE DE CETTE
ANCIENNE COMMANDERIE
MILITAIRE, ÉDIFIÉE SOUS
HENRI IV. BRAUX-SAINTE-
COHIÈRE EST SURTOUT CONNU
POUR AVOIR ABRITÉ LE POSTE
DE COMMANDEMENT
DU GÉNÉRAL DUMOURIEZ,
LORS DE LA BATAILLE DE
VALMY, LE 20 SEPTEMBRE 1792.

AU NORD DU DÉPARTEMENT
DE LA MARNE S'ÉTEND
LE TERRITOIRE DE L'ARGONNE,
PATRIE DE L'IRREMPLAÇABLE
DOM PÉRIGNON, NÉ
À SAINTE-MENEHOULD,
DANS LA VALLÉE DE L'AISNE.
LE SOL Y EST FAIT D'UNE ROCHE
TRÈS SPÉCIFIQUE, LA GAIZE,
COMPOSÉE DE GRÈS ET D'OPALE.
PLATEAUX, DÉFILÉS ET CRÊTES
ROCHEUSES SERVENT
DE CADRE AUX GRANDS ESPACES
FORESTIERS DE L'ARGONNE.

ÉVÊQUES, DUCS DE
BOURGOGNE, FAÏENCIERS,
MARINIERS ET COMMERÇANTS
ONT FAIT LA PROSPÉRITÉ
DE LA CITÉ DE NEVERS,
PERCHÉE SUR SA PETITE BUTTE
AU-DESSUS DES BERGES
ENCORE SAUVAGES DE LA LOIRE.
LA BELLE CITÉ DES DUCS
SÉDUISIT AUSSI MARGUERITE
DURAS ET ALAIN RESNAIS,
QUI TOURNA DANS SES RUELLES
ET ESCALIERS PITTORESQUES
HIROSHIMA MON AMOUR.

La Bourgogne

LE CADRE BOCAGER
D'OUROUX-EN-
MORVAN, NON LOIN
DE CHÂTEAU-CHINON,
AVEC SES PETITS
HAMEAUX DISPERSÉS
CARACTÉRISTIQUES DU
MASSIF MORVANDIAU,
RECÈLE D'INTÉRESSANTS
VESTIGES ANTIQUES,
DONT LES TRACES
D'UNE VOIE QUI RELIAIT
AUTUN À ENTRAINS.
LE BOURG OFFRE UN
PANORAMA DE QUALITÉ
SUR LES COLLINES ET LE
LAC DE PANNESIÈRE.

L'aura mythique de son passé prestigieux brille encore autour de la Bourgogne, façonnée par le puissant peuple gaulois des Éduens, qui combattit César, par les barbares Burgondes, les Francs, les ducs éclairés puis les rois de France. Terre d'humanisme, elle a rayonné d'une exceptionnelle spiritualité, émanant de Cluny, Cîteaux, Clairvaux et dominée par cet extraordinaire personnage que fut saint Bernard. Ces hauts lieux du Moyen Âge ne sont plus que souvenirs mais ils planent encore au-dessus des grands champs allongés de la campagne bourguignonne, des vallons boisés, des petits villages tranquilles, des longs canaux, des herbages où paissent les bovins, des vignobles renommés comme des belles villes d'art. Ouvert et souriant, le pays de Vauban, Lamartine ou Colette est relié au Massif central par le Morvan, enclave splendide qui fournit longtemps la capitale en bois, flottant sur les cours d'eau, ainsi qu'en nourrices pour les graines de Parisiens !

ARTIFICIELLEMENT CRÉÉ DANS LES ANNÉES CINQUANTE AFIN DE PRODUIRE DE L'ÉLECTRICITÉ,
LE LAC DE PANNESIÈRE EST LE PLUS VASTE DES PLANS D'EAU DU MORVAN.

À L'OUEST DE
CHÂTEAU-CHINON ET
DE LA MONTAGNE NOIRE
S'ÉTENDENT LES TERRES
DU BAZOIS. LE CANAL
DU NIVERNAIS
TRAVERSE CE FERTILE
PAYS DE CULTURES
ET D'ÉLEVAGE,
DONT LES FAMEUX PRÉS
D'EMBOUCHE CLOS DE
HAIES ONT LONGTEMPS
ENGRAISSÉ LES BLANCS
BOVINS CHAROLAIS.

SI LE LAC DE
PANNESIÈRE EST FERMÉ
D'UN GIGANTESQUE
BARRAGE AVEC
CONTREFORTS ET
VOÛTES, SES BERGES
ENTOURÉES DE COLLINES
SONT TRÈS
ACCUEILLANTES.
PARADIS DES PÊCHEURS
QUI VIENNENT
Y TAQUINER BROCHETS
ET SANDRES,
LE SITE ATTIRE AUSSI
LES AMOUREUX
DE SPORTS NAUTIQUES.

RUISSEAUX ET RIVIÈRES RAVINENT LE PAYS MORVANDIAU, ÉTERNELLEMENT VERDOYANT GRÂCE
À TANT D'EAUX RUISSELANTES. SES LACS ET SES BARRAGES ALIMENTENT ET RÉGULENT
LE DÉBIT DES CANAUX ET DES COURS D'EAU CAPRICIEUX, TELLES L'YONNE OU LA CURE.

CHINON... AU PIED
DE SA FORTERESSE EN RUINE
DOMINANT LA VIENNE
SE SERRENT LES PITTORESQUES
BÂTISSES MÉDIÉVALES.
LA VIEILLE VILLE SEMBLE
N'AVOIR PAS CHANGÉ DEPUIS
LE TEMPS OÙ, CAPITALE
DU ROYAUME DE FRANCE, ELLE
RECEVAIT JEANNE D'ARC
VENUE QUÉRIR CHARLES VII
POUR BOUTER L'ANGLAIS
HORS DU PAYS.

Loir et Loire

La Loire pénètre en Touraine par Candes-Saint-Martin, où serait mort cet évêque de Tours bien connu qui partagea son manteau avec un pauvre. Le fleuve glisse langoureusement au pied des châteaux, déroulant l'histoire de la cour de France, du temps où, avec armes, bagages, poètes et courtisanes, les rois quittaient la capitale pour la douceur ligérienne. Chinon, Ussé, Langeais, Tours, Amboise, et, passant sur les terres du Loir-et-Cher, Chaumont, puis Blois, au célébrissime escalier... Quelques châteaux ont boudé la Loire, tels Azay-le-Rideau et Loches, sur l'Indre, ou Chambord, que François Ier assit sur les rives du Cosson, en Sologne. Mais les palaces d'antan ne sont pas les seuls à affectionner les vallées fluides ourlées de coteaux de tuffeau, égrenant les bourgs et les belles villes blanches de craie... Au long de la Loire comme du Loir, se nichent dans les tendres collines d'anciennes carrières gallo-romaines ou médiévales, converties bien souvent en caves, et tout un fascinant univers d'habitations troglodytiques.

La Manse baigne un charmant village peu ordinaire, Crissay-sur-Manse... Nul poteau, nulle enseigne ne dépare ses demeures Renaissance, ses tourelles, ses petites rues et ses perrons fleuris.

Si la Touraine est riche en maisons excavées dans les blancs coteaux de tuffeau, la vallée du Loir offre tout autant de merveilles troglodytiques. Leurs habitants, d'ailleurs propriétaires du vide, peuvent agrandir les pièces à leur guise, à coups de pioche !

En lisière du pays tourangeau, tout près du Grand-Pressigny, célèbre à travers
le monde pour ses gisements préhistoriques, le petit bourg d'Abilly se mire
dans les eaux de la Claise, qui glissent sans plus l'émouvoir
sur la roue d'un vieux moulin.

NON LOIN DE LA MANSE
S'ÉTIRE UNE VALLÉE
MINUSCULE ET
PRESQUE OUBLIÉE.
UN RUISSEAU NOYÉ
DANS LES ARBRES GLISSE
AU PIED DE SES DOUX
COTEAUX, CREUSÉS
D'HABITATIONS
SOUTERRAINES. LA
VALLÉE DE COURTINEAU
DISPOSE MÊME
D'UNE CHAPELLE
TROGLODYTIQUE,
PLUSIEURS FOIS
CENTENAIRE,
DÉDIÉE À NOTRE-DAME
DE LORETTE.

INDEX

Crédits photographiques

Nathalie Cousin/DEF : pp. 6, 9 à 25, 28 à 32, 34, 55, 60, 64, 66, 67, 70 à 77, 133, 140 en haut, 141, 142.
Patrick Delance/DEF : pp. 37, 39 à 43. Christian Hochet/DEF : pp. 38, 79 à 91, 98, 102, 103, 134 à 139.
Jean-Sébastien Kwiecien/DEF : pp. 45, 46, 50, 51, 114, 116, 120, 121, 127 à 131.
Bertrand Rieger/DEF : pp. 27, 33, 56, 62, 65, 140 en bas. Jean-Claude Thobois : pp. 58, 69, 93 à 97, 100, 101,
113, 117, 118. Jacques Verroust : pp. 49, 52, 53, 104 à 111, 122 à 125.
Couverture : photo principale et en encadré en bas à gauche, Jean-Claude Thobois ;
en encadré en haut et en bas à droite, Christian Hochet.

Conception graphique et réalisation : Virginie Chillon, Jean-Noël Zawalski.

Achevé d'imprimer:
Imprimé en Italie par New Interlitho, Milan
Mai 1995